STAVKIRKER

De fleste norske kirker i middelalderen var stavkirker. Tre var det naturlige byggemateriale den gang og er fremdeles det vanligste. Nordmenn vil fortsatt helst bo i trehus. Gjennom vikingtidens båtbygging var byggekunsten i tre høyt utviklet, og i stavkirkene når den sitt høydepunkt. Stavkirkene kan trygt karariteriseres som Norges viktigste bidrag til europeisk byggekunst. Kristendommen ble innført i Norge omkring år 1000. Ett århundre senere må det ha vært minst 750 stavkirker i landet. Idag er det ca. 30 tilbake. Allikevel er det nesten utrolig at så mange har er bevart. Andre land i Nord-Europa hadde også trekirker i middelalderen. Av dem er det ingen tilbake. Derfor vernes også de norske stavkirkene som det enestående minne de er om fortidens byggekunst.

Det finnes mange typer stavkirker, men felles for dem alle er at de har et skjelett – eller reisverk – med vegger av staver eller loddrette planker. Den opprinnelige stavkirken hadde nærmest et kvadratisk grunnplan, men etter hvert ble grunnplanen dypere, og man får en kirketype med et midtskip mellom to søylerader og sideskip utenfor disse.

Om opphavet til stavkirkene er det forskjellige meninger. Noen mener de har engelske kirker som hevder at stavkirken nen med eldre en tilpassing krav. Men t har mottatt ker sammen- den

I kurden i po rnamentikken i de el noen må ha førkristne røtter. Senere avløses den av romanske motiver og den «klassiske» stavkirkeportal med sin sammenfletning av ranke- og drakemotiver.

STAVE CHURCHES

Most of the churches built in Norway during the Middle Ages were stave churches. Timber was – and still is – the natural building material. Norwegians prefer wooden houses. Boat construction in Viking times had developed the technique of building in wood into an art which culminated in the stave churches. They may safely be said to represent Norway's most important contribution to European architecture.

Christianity was introduced in Norway around the year 1000. A century later there must have been at least 750 stave churches in the country. Today about 30 remain. It is almost unbelivable that so many have been preserved. There were wooden churches too in other countries in Northern Europe. They have all gone. Therefore the Norwegian stave churches are guarded and protected as unique specimens of medieval building art.

There are several types of stave churches, but common to all of them is a skeleton or framework of timber with wall planks standing on sills. These walls are known as stave walls. The earliest stave churches had an almost quadrangular ground plan, but eventually they became more elongated and developed into a wooden church with a central nave between two rows of columns and aisles on both sides.

The origin of the stave churches is debated. Some antiquarians say they are patterned on English churches. Other people maintain that they must be connected with earlier Norse building techniques and traditions, and suggest that the stave church is an adoption of the old heathen temples to Christian requirements. But all experts seem to agree that with the passage of time stave church building has been influenced by European sacral architecture and they point out the connection between the triple-naved Norwegian stave church and the Roman basilica.

The ornamentation or carving of porches, columns and walls enters into this discussion. The decorative animal motifs in the early churches is connected with pre-Christian art. This was later replaced by Roman motifs and the «classical» stave church porch with its intertwined tendril and dragon decoration.

STABKIRCHEN

Die meisten norwegischen Kirchen des Mittelalters waren stabkirchen. Holz war zu jener Zeit das natürliche Baumaterial, und das ist es in Norwegen noch heute. Noch immer wohnen die Norweger am liebsten in Holzhäusern. Durch den Schiffsbau der Wikingerzeit hatte sich das Bauen aus Holz zu einer Kunst entwickelt, die in der Stabkirche ihren Höhepunkt erreichte. Man kann sie zweifellos als den bedeutendsten Beitrag Norwegens zur europäischen Baukunst bezeichnen.

Das Christentum wurde in Norwegen um das Jahr 1000 eingeführt. Hundert Jahre später muss es mindestens 750 Stabkirchen im Lande gegeben haben. Obgleich heute nur noch etwa 30 übrig sind, scheint es kaum glaublich, dass ihre Anzahl so gross ist. Auch andere Länder Nordeuropas besassen im Mittelalter Holzkirchen, doch ist keine von ihnen erhalten geblieben. Darum versucht man mit allen Mitteln, die einzigartige Erinnerung an die Vergangenheit, die die norwegischen Stabkirchen darstellen, zu schützen und zu konservieren. Obgleich es verschiedene Arten von Stabkirchen gibt, ist allen ein hölzernes Skelett – oder Gebälk – gemeinsam, mit Wänden aus Pfählen oder senkrechten Planken. Die ursprüngliche Stabkirche hatte einen fast quadratischen Grundriss. Im Laufe der Zeit wurde dieser aber verlängert, und es entstand ein Kirchentyp mit einem Mittelschiff zwischen zwei Säulenreihen und Seitenschiffen ausserhalb der Säulen.

Es gibt verschiedene Meinungen über den Ursprung der Stabkirche. Nach der Auffassung einiger Altertumsforscher haben sie englische Kirchen als Vorbild. Andere glauben, es bestünde hier ein Zusammenhang mit alten nordischen Bautraditionen, und halten die Stabkirche für eine Anpassung heidnischer Tempel an die Forderungen des Christentums. Alle sind sich aber darüber einig, dass die Stabkirche im Laufe der Zeit Impulse von der europäischen sakralen Architektur empfangen hat, und machen auf die Verwandtschaft aufmerksam, die zwischen der dreischiffigen norwegischen Stabkirche under der romanische Basilika besteht.

Bei dieser Diskussion wird auch auf die Tierornamentik und die Holzschnitzereien der Portale, Säulen und Wände hingewiesen. Nach der Meinung mehrerer Forscher besteht ein Zusammenhang zwischen der Tierornamentik der ältesten Kirchen und vorchristlicher Kunst. Später wird sie durch romanische Motive und das «klassische» Stabkirchenportal mit seinen zusammengeflochtenen Ranken- und Drachenmotiven abgelöst.

Heddal Stavkirke

Heddal er Norges største stavkirke. Den er treskipet med svalgang og halvrund koravslutning. Antagelig er den reist omkring 1250. Veggmaleriene og altertavlen er fra 1600-årene. Kirken ble restaurert i 1850-årene og reparert 100 år senere.

Heddal is the biggest stave church in Norway and probably dates from the 1250s. It is triple-naved with an apse an surrounded by a covered ambulatory. The church is famous for its carved portals with floral and animal motifs and fantastic human shapes. The wallpaintings and altar screen are from the 1600s.

Die Kirche von Heddal ist die grösste Stabkirche Norwegens. Wahrscheinlich wurde sie um 1250 errichtet. Sie ist dreischiffig, hat eine halbrunde Apsis und ist von einem Laubengang umgeben. Wandgemälde und Altarbild stammen aus dem 17. Jahrhundert. Die Kirche ist ihrer geschnitzen Portale mit Ranken- und Tierornamentik und phantastischen menschlichen Gestalten wegen berühmt.

Eidsborg Stavkirke

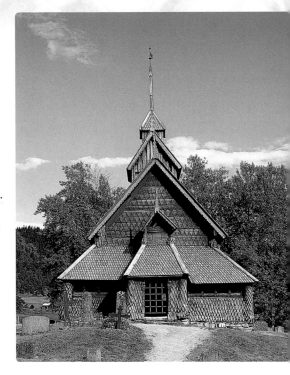

Eidsborg stavkirke er antagelig bygd først på 1200-
tallet og viet til de reisendes skytshelgen, Nicolaus av
Bari. De malte figurer og ornamenter fra 1600-tallet
ble avdekket ved restaureringen i 1929.

Eidsborg stave church was probably built in the early
1200s and dedicated to all travellers` patron, St. Nicolas
of Bari. The painted figures and ornaments from the
Renaissance were uncovered during the 1929 restoration.

Die Stabkirche von Eidsborg wurde vermutlich Anfang
des 13. Jahrhunderts gebaut und dem Schutzheiligen
der Reisenden, dem Heiligen Nikolaus von Bari,
geweiht. Die gemalten Figuren und Ornamente aus
dem 17. Jahrhundert fand man bei der Restaurierung
der Kirche im Jahre 1929.

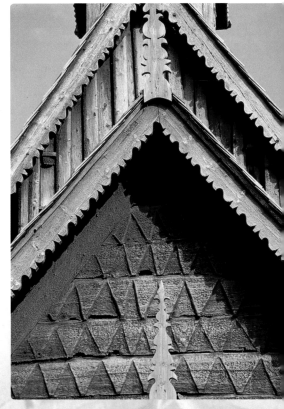

Røldal Stavkirke

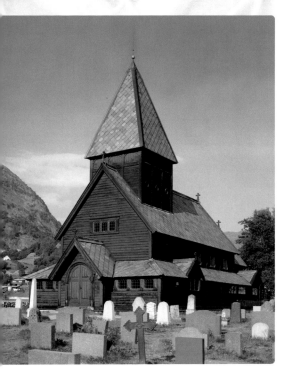

Røldal stavkirke er antagelig bygd i løpet av 1200-
årene og dekorert innvendig på 1600-tallet.
Det middelalderske krusifiks over altertavlen ble
tillagt helbredende virkning, og langt inn i
protestantisk tid valfartet syke til kirken.

Røldal stave church is probably from the beginning
of the 13th century. Nave and chancel were
decorated in the 1600s. Healing powers were
ascribed to the medieval crucifix. Annual pilgrimages
continued far into Protestant times.

Die Stabkirche von Røldal wurde wahrscheinlich
Anfang des 13. Jahrhunderts gebaut. Das
Kircheninnere wurde erts im 17. Jahrhundert
dekoriert. Dem mittelalterlichen Kruzifix über dem
Altarbild wurde heilende Wirkung zugeschrieben. Bis
in die protestantische Zeit hinein wallfahrteten
kranke Menschen nach Røldal.

Flesberg Stavkirke

Numedal er kjent for sine stavkirker. Flesberg stavkirke ble oppført på slutten av 1100-årene, og ombygd til korskirke i 1735.

The valley of Numedal is famous for its stave churches. Flesberg stave church was built in the late 1100s and rebuilt in 1735 to cruciform.

Numedal ist seiner Stabkirchen wegen bekannt. Die Stabkirche von Flesberg, die Ende des 12. Jahrhundert gebaut wurde, und wurde 1735 zur Kreuzkirche umgebaut.

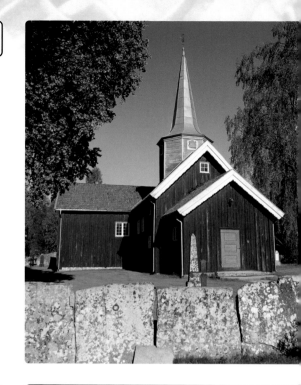

Nore Stavkirke

Her ser vi Nore-kirken fra slutten av 1100-årene, oppført som korskirke, utvidet og delvis ombygd på 1600- og 1700-tallet.

The Nore church was built in the late 1100s as a cruciform church, and enlarged and partly rebuilt during the 17th and 18th centuries.

Hier sehen wir die Kirche von Nore, die Ende des 12. Jahrhunderts als Kreuzkirche errichtet und im 17. und 18. Jahrhundert erweitert und teilweise umgebaut wurde.

Rollag Stavkirke

I Rollag kirke i Numedal utgjør middelalderskipet kjernen, men stavkirken ble ombygd og utvidet mot slutten av 1600-tallet. Fra den tid skriver også prekestolen og veggdekorasjonene seg.

The medieval nave forms the core of Rollag church, but the stave church was enlarged and rebuilt towards the end of the 17th century. The pulpit and wall decorations also date from the 1600s.

Das mittelalterkirche Schiff bildet den Kern der Kirche von Rollag, die Stabkirche wurde aber Ende des 17. Jahrhunderts umgebaut und erweitert. Aus dieser Zeit stammen auch Kanzel und Wanddekor.

Uvdal Stavkirke

Øverst i Numedal finner vi Uvdal stavkirke, også fra slutten av 1100-årene og ombygd til korskirke i 1723. Portalene, halvmaskene og korbuen og vestgalleriets utskjæringer er middelalderske. Renessansedekoren er fra 1600-tallet og rokokko-ornamentene fra 1700-tallet.

High up in Numedal stands Uvdal stave church. It dates from the end of the 1100s and was rebuilt to cruciform in 1720. The portals, the grotesque half-masks above the chancelarch and the carvings of the West gallery are medieval. The Renaissance decorations are from 1656 and the Rococco ornaments from the 1700s.

Im oberen Numedal finden wir die Stabkirche von Uvdal, die Ende des 12. Jahrhunderts errichtet und 1720 zur Kreuzkirche umgebaut wurde. Die Portale, die Halbmasken über dem Chorbogen und die Holzschnitzereien der Westgalerie stammen aus dem Mittelalter. Die Renaissance-Dekorationen wurden im 17. Jahrhunderts, die Rokoko-Ornamente im 18. geschaffen.

Gol Stavkirke
Norsk Folkemuseum

Stavkirke fra Gol i Hallingdal. Bygget ca. 1200 med staver som det bærende element. Ble i 1885 flyttet til Bygdøy kongsgård – nå en del av Norsk Folkemuseum. Brukes i dag til gudstjenester i sommerhalvåret.

Stave church from Gol in Hallingdal. Constructed about 1200 with staves (pillars) to support the roof. Re-erected in 1885 at King Oscars II`s place Badsubråten, now part of the Norwegian Folkmuseum. Churchservices are held every sunday during the summermonths.

Die Stabkirche aus Hallingdal stammt aus der Zeit 1200. Die Kirche ist mit Stäben als die trägende Element errichtet. Seit 1885 hat die Riche auf den hiesigen Ort gestanden und hat seit 1905 die Samlungen das Norwegisches Volksmuseum gehört. Die Kirche ist Während des Sommers für Gottesdiensten benutzt.

Gol Stavkirke

Stavkirke fra Gol i Hallingdal. Bygget 1994.

Stave church from Gol in Hallingdal. Constructed 1994.

Die Stabkirche aus Hallingdal stammt aus der Zeit 1994.

Torpo Stavkirke

Torpo stavkirke ble viet til St. Margareta i annen halvdel av 1100-årene og er Hallingdals eldste bygning. En utskåret portal og takmaleriene med motiver fra legenden om St. Margareta hører til kirkens middelalder-dekorasjoner.

Torpo stave church was dedicated to St. Margaret in the second half of the 12th century. It is the oldest building in the Hallingdal Valley. A carved porch and the painted ceiling with motifs from the St. Margaret legend are medieval.

Die Stabkirche von Torpo wurde in der zweiten Hälfte des 12. Jahrhunderts der Heiligen Margareta geweiht und ist das älteste Gebäude Hallingdals. Zu den mittelalterlichen Dekorationen der Kirche gehören ein geschnitztes Portal und Deckengemälde mit Motiven aus der Legende über die Heilige Margareta.

Fantoft Stavkirke

Fantoft stavkirke, fra 12. århundre, flyttet fra Fortun i 1879. Utenfor kirken et stenkors fra innføringen av kristendommen ca. år 1000.

Fantoft stave church build at Fortun, moved 1879 at Fantoft. Outside the church is a stone cross from the time immediately following the introduction of Christianity abt. year 1000.

Fantoft Stabkirche, vom 12. Jahrhundert, 1879 von Fortun nach Fantoft gebracht. Außerhalb der Kirche stehen Steinkreuze noch von der Einführung des christlichen Glaubens um das Jahr 1000.

Undredal Stavkirke

Stavkirke fra 1147, ombygd til sin
nåværende form i 1722.

Stave church dating from 1147, rebuilt in
present form in 1722.

Die Stabkirche ist von 1147 und wurde
1722 zu ihrem heutigen Aussehen
umgebaut.

Rødven Stavkirke

Rødven kirke i Romsdal er en enskipet stavkirke;
inneholder deler fra slutten av 1100-tallet; er blitt
atskillig ombygget og forandret gjennom tidene.
Til det gamle inventar hører et krusifiks fra midten
av 1200-tallet.

Rødven church in the province of Romsdal is a
single-naved stave church from the end of 12th
century, but considerably altered during the course
of time. A 13th century crucifix belongs to the old
interior.

Die Stabkirche von Rødven in Romsdal ist eine
einschiffige Kirche aus dem 12. Jahrhundert, an
der im Laufe der Zeit viele Veranderungen
vorgenommen wurden. Zum alten Inventar gehört
ein Kruzifix aus der Mitte des 13. Jahrhunderts.

Borgund Stavkirke

Borgund stavkirke i Sogn er den best bevarte av norske stavkirker, bemerkelsesverdig med sin fine reisning og vel avveide proporsjoner. Bygget ca. 1200, viet til St. Andreas og senere verken om- eller tilbygd. Utvendig legger man merke til dragehodene på gavlene, den utskårne vestportalen, svalgangen, samt klokkestøpulen med middelalderklokke. Innvendig fester man seg ved plankekorsene – avstiverne – mellom søylene, prekestolen fra slutten av 1500-årene og alter-tavlen fra 1620.

Borgund stave church in the Sogn area is the best known, best preserved and most typical of Norwegian stave churches. About 1150 it was dedicated to the Apostle St. Andrew and has not been added to or rebuilt since. On the outside one notices the dragon heads on the gables, the carved portals, the ambulatory and the belfry. Inside one sees that the central nave is supported by twelve cross-braced pillars. The pulpit dates from the end of the 1500s and the altar-piece from 1620.

Die Stabkirche von Borgund ist die am besten erhaltene Stabkirche Norwegens. Sie zeichnet sich durch die Schönheit ihrer Form und ihre harmonischen Proportionen aus. Sie wurde um 1150 dem Apostel Andreas geweiht und später weder umgebaut noch mit Anbauten versehen. Bemerkenswert sind die Drachenköfte der Giebel, das geschnitzte Westportal, der Laubengang unter der Glokkenturm mit seiner mittelalterlichen Glocke. Im Innern der Stabkirche beachte man die als Absteifer dienenden Plankenzangen zwischen den Säulen, die Kanzel aus dem späten 16. Jahrhundert und das Altarbild aus dem Jahre 1620.

Hopperstad Stavkirke

Hopperstad, Vik i Sogn er en stavkirke av den treskipete type, antagelig fra slutten av 1100-årene. Det mest interessante ved kirken er den gotiske alterbaldakinen med utskårne hoder og dekorasjoner, og maleriene i hvelvet som forestiller Jesu barndom.

Hopperstad is a triple-naved church, probably from the end of the 1100s. The most interesting features are the Gothic altar-baldaquin with sculptured heads and decorations and paintings in the ceiling depicting the childhood of Christ.

Die Stabkirche von Hopperstad ist dreischiffig und wurde wahrscheinlich Ende des 12. Jahrhunderts erbaut. Besonders interessant ist der gotische Altarbaldachin mit seinen geschnitzten Köpfen und Dekorationen und die Gemälde im Gewölbe, die die Jugend Jesu darstellen.

Kaupanger Stavkirke

Kaupanger stavkirke fra ca. 1180 er restaurert og gitt det eksteriør den hadde omkring 1600. Det renessansepregede inventar skriver seg også fra den tid.

Kaupanger stave church from around 1180 has been recently restored and brought back to the way it looked in the 1600s. The renaissance interior dates from the same period.

Die aus den Jahren um 1180 stammende Stabkirche von Kaupanger wurde im vorigen Jahrhundert restauriert und hat heute das Aussehen, das sie um das Jahr 1600 hatte. Das vom Stil der Renaissance geprägte Innere der Kirche stammt ebenso aus dieser Zeit.

Urnes Stavkirke

Urneskirken i Sogn er Norges eldste stavkirke oppført omkring 1150 med betydelige deler fra en eldre kirke, bl.a. den rikt utskårne nordportalen. Denne treskurd har gitt navnet til Urnes-stilen og daterer disse elementer til ca. 1050. De innvendige søylekapiteler er også rikt ornamentert. Over korbuen henger et romans krusifiks. Inventaret for øvrig er fra 1660-årene.

The Urnes church in Sogn is Norway oldest stave church, built in the early 1100s, partly with materials from an older church such as the richly carved North portal. This wood carving is known as the Urnes Style and dates these elements of the church to around 1050. The interior column heads are richly ornamented. A Roman crucifix hangs above the chancel-arch. Other pieces of inventory date from the 1660s.

Die Kirche von Urnes in Sogn is die älteste Stabkirche Norwegens. Sie wurde Anfang des 12. Jahrhunderts erbaut, enthält aber Teile einer älteren Kirche, u. a. das reich geschnitzte Nordportal. Seine Schnitzereien haben dem Urnes-Stil seinen Namen gegeben. Man nimmt an, dass sie um 1050 entstanden sind. Auch die Kapitelle der inneren Säulen sind prächtig ausgeschmükt. Über den Chorbogen hängt ein romanisches Kruzifix. Das übrige Inventar stammt aus den sechziger Jahren des 17. Jahrhunderts.

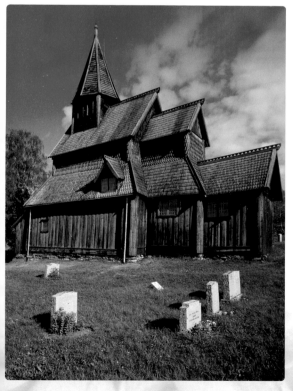

Høre Stavkirke

Høre stavkirke er fra annen halvdel av 1100-årene og ombygd omkring 1820. Kirkegårdsporten, som er kirkens opprinnelige takrytter, har fine utskjæringer. Innvendig legger man merke til søylehodene, prekestolen og den naive altertavlen.

Høre stave church from the second half of the 12th century was rebuilt around 1820. Notice the fine carvings in the churchyard gate.

Inside the church, the capitals, the pulpit and the naive altarscreen catch the eye.

Die Stabkirche von Høre stammt aus der zweiten Hälfte des 12. Jahrhunderts und wurde um 1820 umgebaut. Das Friedhofsportal ist mit schönen Holzschnitzereien verziert. Im Innern der Kirche beachte man die Säulenkapitelle, die Kanzel und das naive Altarbild.

Lomen Stavkirke

Oppe i lia i Vestre Slidre ligger Lomen stavkirke fra omkring 1200.
Skipets midtrom, som bæres oppe av 4 søyler har rik treskurd i portaler, korbue og søylehoder. I størrelse og form svarer den til nabokirken i Høre sogn.

In the hills of Vestre Slidre stands the Lomen stave church from around 1200. The church, supported by 4 columns, has lavishly carved portals, chancel-arch and column-heads (capitals). In form and size it corresponds to Høre in the neighbouring parish.

Auf einer Anhöhe in Vestre Slidre liegt die um 1200 erbaute Stabkirche von Lomen. Sie wird von 4 Säulen getragen. Portale, Chorbogen und Saülenkapitelle sind reich mit Holzschnitzereien verziert. In bezug auf Grösse und Form gleicht die Kirche der benachbarten Kirche von Høre.

Reinli Stavkirke

Fra Reinli stavkirke ser man vidt utover Valdres. Kirken er første gang nevnt i 1327, men går nok tilbake til 1200-tallet. Altertavlen er et omarbeidet alterskap fra middelalderen. Prekestolen har renessansens preg.

From the Reinli stave church there is a wide view of the Valdres district. The church was first mentioned in 1327, but probably dates from the 1200s. The altar screen is made from a medieval madonna triptych. The pulpit bears the stamp of the Renaissance.

Von der Stabkirche von Reinli aus hat man einen weiten Blick über Valdres. Die Kirche wurde 1327 zum ersten Mal erwähnt, stammt aber vermutlich aus dem 13. Jahrhundert. Die Altartafel ist ein umgearbeiteter Madonnenschrein aus dem Mittelalter. Die Kanzel scheint aus der Renaissance zu stammen.

Hedalen Stavkirke

Hedalen kirke er opprinnelig en stavkirke fra slutten av 1100-årene, utvidet til korskirke i 1699 og med flere senere tilbygg. I sakristiet oppbevares skinnet av en bjørn som ifølge legenden ble skutt foran alteret, da kirken ble gjenoppdaget etter Svartedauen.

Hedalen church was originally a stave church built at the end of the 12th century. In 1699 it was enlarged to a cruciform church. In the sacristy one can see the skin of a bear witch according to legend was shot in front of the altar when the church was rediscovered in the woods after the Black Plague.

Die Kirche von Hedalen war ursprünglich eine Stabkirche und wurde Ende des 12. Jahrhunderts gebaut. 1699 wurde sie zur Kreuzkirche erweitert und erhielt später mehrere Anbauten. In der Sakristei wird das Fell eines Bären aufbewahrt, der der Sage nach vor dem Altar erschossen wurde, als man die Kirche nach dem Schwarzen Tod wieder entdecke.

Garmokirken - Maihaugen

Den gamle Garmokirken fra Lom er gjenreist på Maihaugen i
Lillehammer. Kirken er av en gammel type og kan være bygd i
1100-årene. Prekestolen skriver seg fra Romsdal. Interiøret ellers
er fra 1600- og 1700-tallet. Noe er rekonstruert.

The old Garmo church from Lom has been re-erected at
Maihaugen in Lillehammer. The church is probably from the
12th century. The pulpit was made in Romsdal on the West Coast.
The remaining inventory consists of 17th and 18th century
Gudbrandsdal pieces, restored and partly reconstructed.

Die alte Kirche von Garmo in Lom wurde auf dem Maihaugen in
Lillehammer neu errichtet. Sie stammt vermutlich aus dem 12.
Jahrhundert. Die Kanzel kommt aus Romsdal. Das übrige
Inventar stammt aus dem 17. und 18. Jahrhundert und wurde
teilweise rekonstruiert.

Vågå Stavkirke

Vågå kirke ble bygget 1625-30 med bruk av materialer fra nedrevne stavkirker. Av inventar merket man seg døpefonten fra middelalderen og prekestolen og altertavlen fra 1600-tallet. Korskillet ble skåret og malt i 1758.

Vågå stave church is first mentioned in 1130. It was rebuilt in cruciform 1625-30. The font and the large crucifix are medieval, the pulpit and the altar-piece from the 1600s and the chancel-arch were carved and decorated in 1758.

Die Stabkirche von Vågå wurde 1130 zum ersten Mal erwähnt. Sie wurde in den Jahren 1625-30 zur Kreuzkirche umgebaut. Man beachte besonders das Taufbecken aus dem Mittelalter. Kanzel und Altarbild stammen aus dem 17. Jahrhundert. Der Chorbogen wurde 1758 geschnitzt und bemalt.

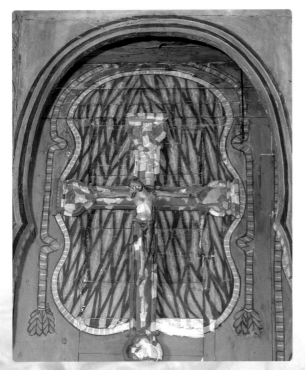

Ringebu Stavkirke

Ringebu stavkirke er fra slutten av 1100-tallet og ble ombygd til korskirke omkring 1630. St. Laurenstiusfiguren og døpefonten er fra middelalderen, altertavlen fra 1686, prekestolen og korskille-monogrammet fra 1702.

The triple-naved Ringebu stave church was built at the end of 12th century and rebuilt in cruciform around 1630. The St. Laurentius image and the font are medieval, the altar-screen from 1686, the pulpit and the chancel-arch monogram from 1702.

Die Stabkirche von Ringebu wurde Ende des 12. Jahrhunderts errichtet und um 1630 zur Kreuzkirche umgebaut. Die Figur des Heiligen Laurentius und das Taufbecken stammen aus dem Mittelalter, das Altarbild aus dem Jahre 1686, Kanzel und Monogramm des Chorbogens aus dem Jahre 1702.

Lom Stavkirke

Lom stavkirke – treskipet og mangesøylet – fra
slutten av 1100-årene. Ble utvidet til korskirke på
1600-tallet. Koret ble utsmykket i 1608.
Korskranken ble skåret i 1793. Akantusløvet i preke-
stolen er av nyere dato. Kirken ble restaurert i 1933.

Lom stave church – triple-naved and many-
columned – dates from the end of the 1100s. In the
17th century it was enlarged to a cruciform church.
The chancel was decorated in 1608. The chancel-
arch was carved in 1793. The acantus leaves of the
pulpit are more recent work. The church was
restored in 1933.

Die Ende des 12. Jahrhunderts erbaute Stabkirche
von Lom ist dreischiffig und hat viele Säulen. Sie
wurde im 17. Jahrhundert zur Kreuzkirche erweitert.
Der Chor wurde 1608 dekoriert, die Chorschranke
1793 geschnitzt. Die Arkanthusblätter der Kanzel
sind jünger. Die Kirche wurde 1933 restauriert.

Kvernes Stavkirke

Averøya i Møre og Romsdal, bygd 1300-1350. Kirken er betydelig omgjort, og det laftede koret kom til i 1633.

Averøya in Møre og Romsdal, built 1300-1350. The church has been greatly renovated, and the log-built chancel was added in 1663.

Averøya in Møre og Romsdal. Erbaut 1300-1350. Die Kirche wurde stark verandert, und der in Blockbauweise errichtete Chorraum kam im Jahre 1633 hinzu.

Grip Stavkirke

Grip på Nordmøre, bygd på 1300-tallet. Grip stavkirke er av Møretypen som har samme bredde som skipet.

Grip in Nordmøre, built in the 14th century. Grip stave church is of the Møre type, where the chancel has the same width as the nave.

Grip in Nordmøre, erbaut im 14. Jahrhundert. Die Stabkirche von Grip gehört zum Møre-Typus, bei dem der Chor die gleiche Breite wie das Schiff hat.

Haltdalen Stavkirke

Haltdalen stavkirke, landets nordligste, står på Trøndelag Folkemuseum. Kirken er trolig fra 1100-tallet, og er den eneste stavkirken tilbake av den øst-skandinaviske type. Denne enkle enskipede typen var utbredt i Trøndelag og Sverige.

Haltdalen stave church, once the most northerly stave church in Norway, today part of the Trøndelag Folkemuseum. From the 12th century, it is the last remaining example of the east Scandinavian type with a single arch roof, previously commonplace throughout Trøndelag and Sweden.

Die nördlichste Stabkirche des Landes steht im Tröndelag Volksmuseum. Die Kirche stammt aus dem Jahr 1100 und ist die einzige noch erhaltene Stabkirche des ostskandinavischen Typs.
Dieser einfache, einschiffige Typ war in Tröndelag und Sweden weit verbreiten.

En Noruega, la mayoría de las iglesias medievales eran las llamadas stavkirker, o "iglesias de columnas". La madera era - y sigue siendo - el material de construcción más corriente. Los noruegos siguen prefiriendo las casas de madera. Con su construcción de barcos, los vikingos habían convertido la construcción en madera en un arte que culminó con estas antiguas iglesias, que sin duda representan la contribución más importante de este país al patrimonio arquitectónico europeo.

El cristianismo se introdujo en Noruega alrededor del año 1000. Un siglo después debía ya de haber unas 750 iglesias de madera en el país, de las cuales apenas quedan una treintena hoy en día. No obstante, resulta extraordinario que se hayan podido conservar tantas. Otros países del norte de Europa también tenían iglesias de madera en la edad media, pero de aquellas no queda ninguna. Por ello las iglesias de madera noruegas se preservan y protegen como ejemplos únicos del arte de construcción medieval.

Las iglesias medievales representan varios tipos, pero el denominador común es que cuentan con un esqueleto, o armazón, en madera, con paredes de tablas - o columnas - verticales. El modelo original tenía una distribución casi cuadrada, pero con el tiempo, la planta se fue prolongando, convirtiéndose en un tipo de iglesia con una nave central entre dos hileras de columnas que la separaban de las naves colaterales.

Hay diferentes puntos de vista sobre el origen de estas iglesias. Algunos piensan que las iglesias inglesas les han servido de modelo; otros afirman que estas iglesias son tan características que deben guardar relación con antiguas técnicas constructivas nórdicas, y piensan que se trata de una adaptación de los antiguos templos paganos a los requisitos del cristianismo. En todo caso, todos parecen coincidir en que las iglesias de madera noruegas estaban recibiendo impulsos de la arquitectura religiosa europea, y subrayan el paralelismo entre las tres naves de la iglesia noruega y la basílica románica.

En este debate también se hace mención de la ornamentación, las tallas en pórticos, columnas y paredes. Los motivos animales de las iglesias más antiguas deben, según algunos, tener raíces precristianas. Más tarde, estos ornamentos fueron sustituyéndose por motivos románicos y por el pórtico "clásico" de la iglesia medieval, con sus motivos entrelazados de zarcillos y dragones.

La iglesia medieval de Heddal es la mayor de este tipo en Noruega. Tiene tres naves con arcada y coro semicircular. Probablemente fue erigida alrededor del año 1250. Los frescos de las paredes y del retablo datan del siglo XVII. La iglesia fue restaurada en los años 1850 y reparada cien años más tarde.

La iglesia de Røldal fue construida durante el siglo XIII y su interior fue decorado en el siglo XVII. Al crucifijo medieval sobre el retablo se le atribuyeron efectos curativos, e incluso mucho tiempo después de la reforma luterana, los enfermos peregrinaban a esta iglesia.

La iglesia de Eidsborg probablemente fue construida a principios del siglo XIII y consagrada al patrón de los viajeros, San Nicolás de Bari. Las figuras y ornamentos pintados en el siglo XVII fueron descubiertos durante la restauración de 1929.

En la iglesia de Rollag, valle de Numedal, la nave medival constituye el núcleo, aunque la iglesia original fue reformada y ampliada a finales del siglo XVII. De aquel período son también el púlpito y la decoración de las paredes.

El valle de Numedal es conocido por sus varias stavkirker. Aquí podemos ver la iglesia de Nore (arriba) de finales del siglo XII, construida con planta de cruz, ampliada y parcialmente reformada durante los siglos XVII y XVIII. La iglesia de Flesberg, de la mismpa época, fue reconstruida con planta de cruz en 1735.

En la parte superior del valle de Numedal se encuentra la iglesia de Uvdal, también construida a finales del siglo XII y convertida en iglesia cruciforme en 1723. Los pórticos, los antifaces sobre el coro y las tallas de la galería oeste son medievales. La decoración renacentista es del siglo XVII y los ornamentos rococos, del siglo XVIII.

La iglesia de Torpo fue consagrada a Santa Margarita en la segunda mitad del siglo XII, siendo el edificio más antiguo del valle de Hallingdal. El pórtico tallado y las pinturas del techo con motivos de la leyenda de Santa Margarita se cuentan entre las decorationes medievales de esta iglesia.

La iglesia de Hedal fue originalmente una iglesia medieval de finales del siglo XII; fue ampliada y convertida en iglesia de cruz en 1699 y sometida a varias ampliaciones posteriores. En la sacristía se guarda la piel de un oso que según la leyenda fue matado a tiros frente al altar cuando la iglesia fue descubierta despés de los años de la peste negra.

Desde la iglesia de Reinli hay una magnífica vista sobre el distrito de

Valdres. La iglesia se menciona por primera vez en un texto del año 1327, pero probablemente se remonta al siglo XIII. El retablo es un armario reformado de la edad media. El púlpito lleva el sello del renacimiento.

En lo alto de Vestre Slidre se encuentra la iglesia de Lomen, que data aproximadamente del año 1200. La parte central de la nave, suspendida por cuatro columnas, cuenta con ricas tallas en los pórticos, el arco del coro y capiteles. Sus dimensiones y forma son similares a las de la iglesia vecina de la parroquia de Høre.

La iglesia de Haltdalen, la más septentrional del país, se encuentra en el Museo Trøndelag Folkemuesum. Se remonta probablemente al siglo XII, y es la única que queda del tipo escandinavo este. Este tipo, de nave única, era corriente en la provincia de Trøndelag y en Suecia.

La iglesia de Høre data de la segunda mitad del siglo XII, y fue reformada alrededor de 1820. El portal del cementerio, que en realidad es la torrecilla original del tejado de la iglesia, tiene unas bellas tallas. En el interior destacan los capiteles, el púlpito y el retablo "naif".

La iglesia de Fantoft, del siglo XII, fue transportada de Fortun a Fantoft en 1879. En la puerta más antigua de la iglesia haya un pequeño montaje de hierro forjado con una piedra verde, probablemente una reliquia, ahora conocida como la piedra de los deseos. Junto a la iglesia hay una cruz de piedra, que data de la introducción del cristianismo alrededor del año 1000.

La iglesia de Borgund, provincia de Sogn, es la mejor conservada de las iglesias medievales noruegas, y destaca por su elegancia y sus proporciones bien equilibradas. Fue construida alrededor del año 1200 y consagrada a San Andrés, y desde entonces no ha sufrido modificación o ampliación alguna. En el exterior destacan las cabezas de dragones del tejado, las tallas del pórtico occidental, la galería exterior, así como el campanil con su campana medieval. En el interior destacan las cruces de tablas (de refuerzo) entre las columnas, el púlpito de finales del siglo XVI y el retablo de 1620.

Construida alrededor de 1150, la iglesia de Urnes, Sogn, es la más antigua de las iglesias medievales de madera del país. Incluye partes sustanciales de una iglesia anterior, entre ellas, un pórtico ricamente tallado. Estas tallas han dado nombre al estilo Urnes, y estos elementos datan aproximadamente del año 1050. Los capiteles interiores también están ricamente ornamentados. Por encima del arco del coro se encuentra un crucifijo románico. El resto del inventario data de los años 1660.

La iglesia de Hopperstad (Vik i Sogn), es una iglesia de madera del tipo de tres naves, probablemente de finales del siglo XII. Lo más interesante de esta iglesia es el baldaquín gótico del altar, con cabezas y decoraciones talladas, y las pinturas de la bóveda, que cuentan la niñez de Jesús.

La iglesia de Kaupanger, aproximadamente del año 1180, ha sido restaurada y ha recuperado el exterior que tenía alrededor de 1600. El inventario, de carácter renacentista, también data de aquel período.

La antigua iglesia de Garmo (Lom) ha sido reconstruida en el museo Maihaugen de Lillehammer. La iglesia es de un tipo antiguo, y puede que fuera construida en el siglo XII: El púlpito procede del valle de Romsdal. El resto del interior data de los siglos XVII y XVIII, con algunas partes reconstruidas.

La iglesia de Vågå fue construida en los años 1635 - 30, usando materiales de iglesias de madera derribadas. Del inventario destaca la fuente bautismal medieval y el púlpito y el retablo, que son del siglo XVII. La separación entre el coro y la nave fue tallada y pintada en 1758.

Iglesia de Gol (Hallingdal), construida alrededor del año 1200, con columnas como estructura sustentadora. En 1885 fue trasladada a la granja real de Bygdøy, que ahora forma parte del Museo Popular Noruego. Se usa actualmente para misas en verano.

La iglesia de Ringebu data de finales del siglo XII y fue convertida en iglesia cruciforme alrededor de 1630. La figura de San Lorenzo y la fuente de bautizo son de la época medieval, el retablo de 1686, y el púlpito y el monograma de la separación entre el coro y la nave son de 1702.

La iglesia de Lom, de tres naves y numerosas columnas, de finales del siglo XII, fue ampliada a iglesia cruciforme durante el siglo XVII. El coro se decoró en 1608. El cancel del coro fue tallado en 1793. Las hojas de acanto del púlpito son más recientes. La iglesia fue restaurada en 1933.

La iglesia de Rødven (Romsdal), es una iglesia medieval de una sola nave, y algunas de sus partes son de finales del siglo XII. Ha sido considerablemente reconstruida y modificada durante los siglos. Del antiguo inventario hay un crucifijo de mediados del siglo XIII.

La plupart des églises norvégiennes étaient, au Moyen Age, des églises «en bois debout». Le bois, matériau de construction naturel à l'époque, reste encore le plus courant – la préférence des Norvégiens allant toujours à habiter des maisons de bois. L'art de bâtir en bois avait atteint, grâce à la construction de bateaux à l'époque viking, un haut degré d'évolution. Il parvient à son apogée avec les églises en bois debout, dont il est permis d'affirmer qu'elles représentent la contribution la plus importante de la Norvège à l'art architectural en Europe.

Un siécle après l'introduction du Christianisme, qui eut lieu autor de l'an 1000, le pays aurait compté au moins 750 églises en bois debout – dont il reste environ 30. Il est pourtant difficile de croire qu'un si grand nombre se soit conservé. D'autres pays d'Europe possédaient eux aussi des églises en bois au Moyen Age, mais il n'en subsiste aucune. Ceci justifie encore la préservation des églises en bois debout norvégiennes, vestiges uniques de l'art architectural du passé.

Bien qu'il en existe de nombreux types, le trait commun à toutes les églises en bois debout est un squelette – ou ossature – aux murs constitués de poteaux ou de planches verticales. Cette église originelle avait un plan pratiquement carré qui, devenant de plus en plus profond, aboutit à un type d'église à nef centrale flanquée de deux rangées de colonnes, et bas-côtés de part et d'autre.

Les opinions au sujet de ces églises sont diverses: Certains pensent que les églises anglaises leur ont servi de modèle; d'autres, les jugeant trop caractéristiques pour ne pas appartenir aux anciennes traditions architecturales nordiques, y voient une adaptation des anciens temples païens aux exigences du Christianisme. Toutefois, l'accord semble se faire sur un point: les influences que les églises en bois ont subies peu à peu, en matière d'architecture religieuse, en provenance d'Europe; on souligne le rapport entre l'église en bois debout norvégienne, à trois nefs, et la basilique de pierre romane.

De même, la discussion porte sur l'ornementation, les sculptures en bois des portails, des colonnes et murs: L'ornementation purement animalière des églises les plus anciennes, prétendent certains, doit avoir des racines préchrétiennes. Elle sera remplacée par la suite par des motifs romans et le portail «classique» des églises en bois debout, avec ses entrelacs de motifs de sarments et de dragons.

L'église de Heddal, la plus grande des stavkirker de Norvège, comprend trois nefs, une galerie extérieure et úne abside semi circulaire. Si elle a probablement été édifiée autour de 1250, les peintures murales et le retable sont du XVIIe siècle. L'église est connue pour ses portails sculptés à ornementation de sarments et d'animaux fabuleux, et de têtes d'hommes fantastiques.

La stavkirke de Røldal, probablement counstruite dès le XIIIe siècle, a reçu sa décoration intérieure au XVIIe. Le crucifix au-dessus du retable, du Moyen Age, était censé posséder des vertus de guérison; aussi, jusqu'à une époque avancée du protestantisme, les malades y venaient- ils en pélerinage.

La stavkirke de Eidsborg, probablement construite dès le XIIIe siècle, est vouée à St Nicolas de Gari, patron des voyageurs. La restauration de l'église, en 1929, a permis de mettre au jour des peintures du XVIIe siècle, représentant des personnages et des ornements.

Dans la stavkirke de Rollag, la nef médiévale constitue le cœur, mais le bâtiment a été remanié et agrandi à la fin du XVIIe siècle. De cette époque datent également la chaire et les décorations murales.

Le Numedal est connu pour ses églises en bois debout. On voit ici l'église de Nore (en haut), de la fin du XIIe siècle, bâtie comme église cruciforme, agrandie et partiellement reconstruite aux XVIIe et XVIIIe siècles. La stavkirke de Flesberg, de la même époque, a été transformée en église cruciforme en 1735.

Tout au bout du Numedal, nous trouvons la stavkirke de Uvdal, également de la fin du XIIe siècle, et transformée en église cruciforme en 1720. Les portails, les masques au-dessus de l'axe du chœur, et les sculptures de la galerie occidentale sont du Moyen Age; le décor Renaissance est du XVIIe siècle, et les ornements rococo du XVIIIe.

La stavkirke de Torpo, dédiée à Ste Marguerite dans la deuxième moitié du XIIe siècle, est le monument le plus ancien du Hallingdal. Un portail sculpté et des peintures au plafond, aux motifs tirés de la légende de Ste Marguerite, font partie des décorations du Moyen Age.

L'église de Hedal, à l'origine stavkirke de la fin du XIIe siècle, a été agrandie en église cruciforme en 1699, et comporte de nombreuses adjonctions postérieures. Dans la sacristie on conserve la peau d'un ours qui, selon la légende, a été tué devant l'autel, lors de la redécouverte de l'église après la peste noire.

De la stavkirke de Reinli on a une vue étendue sur la région de Valdres. L'église, mentionnée pour la première fois en 1327, remonte en fait au XIIIe siècle. Le retable est un tableau-armoire consacré à la Madone, du Moyen Age, et remanié. La chaire est de style Renaissance.

La stavkirke de Lomen, de l'an 1200 environ, est située en hauteur sur un versant boisé, à Vestre Slidre. Supportée par quatre colonnes, elle possède de riches sculptures sur bois sur les portails, l'arc du chœur et les chapiteaux. Elle est de mêmes dimensions et de même forme que l'élgise voisine, de la paroisse de Høre.

L'église en bois dobout d'Haltdalen, la plus septentrionale du pays: (se trouve ajourd' hui au musée folklorique du Trøndelag.) L'église date vraisemblablement du 12e siècle et c'est la seule église en bois debout restant du type de la Scandinavie de l'est. Ce simple type d'église à une nef était courant au Trøndelag et en Suède.

La stavkirke de Høre, de la deuxiéme moitié du XIIe siècle, a été remaniée en 1820 environ. Le portail du cimetière est orné de belles sculptures. A l'intérieur on remarque les chapiteaux, la chaire et le retable naif.

L'église en bois debout de Fantoft, transportée de Fortun à Fantoft en 1879. Sur la plus ancienne porte dens l'église se trouve une petite décoration en fer forgé avec une pierre verte, une relique, actuellement connue comme la pierre divinatoire. En dehors de l'église une croix de pierre datant de l'introduction du christianisme vers l'an 1000.

La stavkirke de Borgund, dans le Sogn, remarquable par sa silhouette et ses proportions harmonieuses, est la mieux conservée des stavkirker de Norvège. Consacrée à l'apôtre André vers 1150, elle n'a connu ni transformations ni adjonctions ultérieures. A l'extérieur on remarque les têtes de dragons sur les gables, la galerie extérieure, ainsi que le campanile, à la cloche du Moyen Age. A l'intérieur le regard se porte sur les croix de planches – les arcs boutants – entre les colonnes, la chaire, de la fin du XVIe siècle, et le retable, de 1620.

L'église de Urnes, dans le Sogn, est la plus ancienne des stavkirker de Norvège. Pour sa construction, dès le XIIe siècle, on a utilisé des éléments importants d'une église antérieure, entre autres le portail nord, richement sculpté. Ces sculptures sur bois ont donné son nom au «style de Urnes»; ces éléments datent de l'an 1030 environ. Les chapiteaux des colonnes intérieures, également, sont richement décorés. Au-dessus de l'arc du chœur est suspendu un crucifix roman. Le reste est du XVIIe siècle.

La stavkirke de Hopperstad, qui appartient au type d'églises à trois nefs, est probablement de la fin du XIIe siècle. L'élément le plus intéressant en est le baldaquin d'autel gothique, à têtes et décorations sculptées, et les peintures de la voûte, représentant l'enfance du Christ.

La stavkirke de Kaupanger, d'environ 1180, a été restaurée, retrouvant alors l'aspect qu'elle avait vers 1600. L'intérieur, de style Renaissance, date de la même époque.

La vieille église de Garmo, de Lom, a été remontée à Maihaugen, à Lillehammer. D'un type ancien, elle a peut-être été construite au XIIe siècle. La chaire provient du Romsdal. L'intérieur, quant au reste, est des XVIIe et XVIIIe siècles. Certains parties ont été reconstruites.

La stavkirke de Vågå, mentionnée pour la première fois en 1130, a été transformée en église cruciforme en 1625 - 30. On y remarque les fonts baptismaux, du Moyen Age, et la chaire et le retable, du XVIIe siècle. La séparation entre le chœur et la nef a été sculptée et peinte en 1758.

La stavkirke de Gol en Bygdøy, Oslo. L'église «en bois debout» provenant de Gol, Hallingdal. L'église était construite autour 1200 avee des piliers en bois qui soutiennent la toiture. En 1885 l'église était réédifiée sur la propriété du Roi Oscar II, «Badsubråten», qui est aujourd'hui une partie du Musée d'art populaire de Norvège. Aujourd'hui l'église est en été utilisée pour des services.

La stavkirke de Ringebu, de la fin du XIIe siècle, a été transformée en église cruciforme vers 1630. La statue de St Laurent et les fonts baptismaux sont du Moyen Age, le retable de 1686, la chaire et le monogramme de la séparation entre le chœur et la nef, de 1702.

La stavkirke de Lom – à trois nefs nombreuses colonnes - de la fin du XIIe siècle, a été agrandie en église cruciforme au XVIIe siècle. Le chœur a été décoré en 1608, la clôture du chœur taillée en 1793. Les feuilles d'acanthe de la chaire sont de date plus récente. L'église a été restaurée en 1933.

L'église de Rødven, dans le Romsdal, est une stavkirke à une seule nef, qui a subi bien des transformations à travers les âges. Parmi les objects anciens on compte un crucifix du milieu du XIIIe siècle.

スターヴ教会

中世、ノルウェーの教会は殆どスターヴ形式で建てられた。当時木材が最も自然な建材であり、今も変わっていない。ノルウェー人は木造家屋に住むのが好きだ。バイキング時代から船の建造によって木造技術が発達していた。この構造はノルウェーからヨーロッパ建築に多大な貢献をしたといえる。キリスト教がノルウェーに入ってきたのは1000年頃で、100年後には各地に少なくとも750の教会が建造された。今日残っているのは約30である。とはいえそこまで保存されたのは驚くべきことだ。ノルウェー以外にも中世の北欧には木造教会が各地にあったが、現在一つとして残っていない。したがって過去の建築技術を伝える特異な遺物として、スターヴ教会は大切に保存されている。

スターヴ教会には構造的に幾つかタイプがあるが、共通点は柱組み、あるいは立ち上げが基本で、板柱または縦板による壁を持っている。本来のスターヴ教会は正方形に近い床面であったが、次第に奥行きが増し2列の大柱のあいだを中廊とし、両側に側廊を設けた。

スターヴ構造の源泉については議論が分かれる。イギリスの教会が見本だという意見もあれば、スターヴ教会は非常に独特で、古代ノース人の伝統的な建て方と関係があるとし、彼らの宗教的建物をキリスト教の要請に順応させたのがスターヴ教会だとする主張もある。しかしながらスターヴ教会が次第にヨーロッパ教会文化の影響を受け、特に三合わせ構造のスターヴ教会と石造カトリック大寺院との関連については全員一致している。

さらに装飾模様、門枠や柱や壁の木彫に議論が及ぶ。最古のスターヴ教会に見られる見事な獣態装飾はキリスト教以前に根ずくものだとする説がある。後世になるとカトリックモチーフに席を譲り、古典的なつる草模様と竜を彫り込んだ門枠の装飾は消えていった。

ヘッダールはノルウェー最大のスターヴ教会。三合わせ構造で側廊があり、祭壇のある内陣は半円形。1250年頃の建立とされている。壁画と祭壇は1600年代の作。教会は1850年代に復元され、100年前に修復が行われた。

ロルダールスターヴ教会はおそらく1200年代に建立され、内装は1600年以降に制作されたものとおもわれる。祭壇上部の十字架像は病気を癒す力があるとされ、新教に改宗されてからもこ.の教会に祈願する病人が巡礼した。

エイスボルスターヴ教会はたぶん1200年代に建てられ、旅人を守る聖ニコラスを讃えて献堂された。1600年代に描かれた肖像や模様は1929年の修復によってよみがえった。

ヌメダールにある**ロッグラ**教会は中世の教会の様相であるが、本来のスターヴ教会を1600年代の終わりにかけて改築し増築したものである。説教壇や壁面装飾もその時作られた。

ヌメダールには数々のスターヴ教会がある。**ノーレ**教会は1100年代終わり頃、十字型に建てられ、1600～1700年代にかけて増築・一部改築された。同じ頃建てられた**フレースベルグ**スターヴ教会は1735年に十字型教会に改築された。

ヌメダール谷の奥に**ウヴダール**スターヴ教会がある。やはり1100年代の建立で、1723年に十字型教会に改造された。門の飾り枠、内陣上部にかかっている仮面、西側階廊の浮き彫りは中世のもの。ルネッサンス装飾は16000年代、ロココ装飾は1700年代の作品。

トルポスターヴ教会は聖マルガレータを記念して1100年代後半に建てられたもの。ハリングダールで最も古い建物である。門枠に施された彫刻と伝説の聖マルガレータをモチーフに描かれた天井画は他の内部装飾と同じく中世に属する。

ヘーダル教会は元来1100年代後半のスターヴ教会であるが、1699年及びその後の増築によって十字型教会に姿を変えた。聖具箱に熊の皮が納められている。伝えによるとこの熊は、ペストの蔓延が終わって教会が再発見されたとき、祭壇の前で打ち止めたられた。

レインリスターヴ教会からヴァルドレス地方が見渡せる。教会は1327年建てられたと思われていたが、1200年代にさかのぼる。祭壇の聖画は中世の両開き祭壇を改造した。また説教壇はルネッサンス風である。

ヘッゲスターヴ教会はヴァルドレス地方 東シルドレ牧区の主要教会である。以前は1327年建立とされていたが、明らかにそれより100年は古い。教会は8本の支柱をもつバシリカ大聖堂の構造。祭壇は地元の芸術家が1780年に製作した。